꿈틀2들의

꼬물꼬물 마음시집

꿈틀2들의 꼬물꼬물 마음시집

지은이   2023 꿈틀2반
발   행   2023년 11월 30일
펴낸이   한건희
펴낸곳   주식회사 부크크
출판사등록   2014.07.15.(제2014-16호)
주   소   서울특별시 금천구 가산디지털1로 119 SK트윈타워 A동 305호
전   화   1670-8316
이메일   info@bookk.co.kr

ISBN   979-11-410-5448-9

www.bookk.co.kr

차례

빨강

빨간색을 보면
떠오르는 감정을
시로 적어보았어요

하늘에서 반짝반짝 사탕

강지은

엄마! 하늘에서 토도도 반짝반짝 빛이 나는

저 하늘에 있는게 모에요?

저건, 하늘에서 빛나는 사탕이란다.

엄마! 그러면 나가서 봐요!

그래! 그래서 나가는데

하늘에 반짝반짝 빛나는 별 같은 사탕이

피송하고 날아갔대

너무나도 신나서 마음이 빨갛게 물들었다.

단풍잎

구해솔

뱅글뱅글 나무에서 날아온 단풍잎
날아오는 단풍잎을 잡고 싶었다.
하지만 단풍잎이 날아가서 잡지 못해서
당황스러웠네

떨어진 단풍잎 주우려 했는데
아빠가 더럽다고 잡지 말라 하셨다.
힝 아쉽다 줍고 싶었는데

다음엔 꼭 잡고 싶어

실수 많은 날

김다윤

학교에서 손을 닦고 왔는데

반에 친구들이 없어졌네

이리저리 반을 살펴봤는데

아무도 없었네

복도로 나가보았더니 다른 반이었어.

사과같이 빨갛게 되어버린 내 얼굴

맛있어 보이는 빨간색

김도현

빨간색은 음식이 많다.

딸기

수박

떡볶이

토마토스파게티

이렇게 맛있는 음식이 많다.

빨간색만 봐도 군침이 나온다.

맛있어 보인다.

너무 부끄러워

김태양

옛날 친구를 잘 못 알아봐서 부끄러웠다.

다음에는 얼굴을 보고

친구라고 해야겠다.

놀라운 나

박지우

학교에서 받아쓰기 시험을 봤는데
빵점 빵점 맞을 것 같아서 덜덜 떨렸는데
갑자기 친구가 물어물어보았다.
"넌 몇 점 몇 점 맞을 것 같아?"
나는 " 몰라 몰라"

다음 날 최악의 날이 밝았네
왜냐면 받아쓰기를 내 눈으로 직접 보는 날.

'어? 생각보다 잘 봤네?'
기뻐서 빨갛게 된 내 두 볼

단풍잎 구경

안지원

난 엄마 아빠와
단풍구경을 갔다.
빨강나무, 노랑나무, 갈색나무, 연두나무
그게 마치 그림을 그리는 것 같다.

파란색 하늘을 봤다.
비행기가 날아간다.
나는 비행기를 탔다.
풍경이 좋았다.

나는 무서웠는데 엄마가 달래주셨다.
기분이 좋았다.

그... 얼굴

오장우

그 얼굴의 개구리를

밤에 떠올리면

아직도 잠을 못 잔다.

분노에 이제 혐오대상

개구리 페페...

그 얼굴 생각 잠 계속 설쳐

겨우 잠을 잔다.

언제까지

내 머리에 맴돌 것인지

나도 몰라

언제 내 머릿속에서 사라져도

다시 내 머릿 속에 맴돌까봐

무섭네

바이킹

이다인

바이킹 바이킹
내 마음이 점점 빨개진다.

바이킹 바이킹
내 마음이 폭탄처럼 터졌다.

폭탄 같았지만
무지개 같은 바이킹

화남

이서준

친구랑 싸웠다.

싸워서 화났다

화가 난 친구 얼굴이 빨개졌다.

누나랑 싸움

이우빈

어제 저녁에 누나와 놀다 크게 싸웠다.

왜냐하면 내가 엄마한테

"5 나누기 5가 모야"?라고 물어봤는데

누나가 대답하지 말라해서

너무 화가 났다.

빨갛게 화난 날

친구와 보드 게임을 한 날
친구가 계속 똑같은 카드만 내고
결국 난 보드게임에서 져버렸네!
불처럼 빨갛게 화나 있는 내 기분

30

너무 무서워

정승원

사그락 사그락 너무 무서워

아무도 없는 밤

혼자 가니까

너무 무서워

물을 마시러 가는데

너무 무서워

억울

조윤우

우리 아빠는

오해를

가끔

하신다.

그것 때문에

나는

억울할 때가

많다.

화가 난다

34

빨간 사탕

진세라

오늘 밤, 아무도 모르게 골목길을 터벅터벅

"어어? 저게 뭐지?"

누군가 떨어트리고 간 빨간 사탕

헐레벌떡 주워보니 빛이 나는 빨간 사탕

입에 넣어 오물 오물 먹어보니

참 맛있는 빨간 사탕

오독 오독 아삭아삭

아이고 달다

맛있는 사과

채아린

사그락... 사그락...
엄마가 사과를 썰면
맛있는 소리가 들리고
입에 쏙!

이젠 달콤한 사과를 보면
내 마음이 기뻐진다.

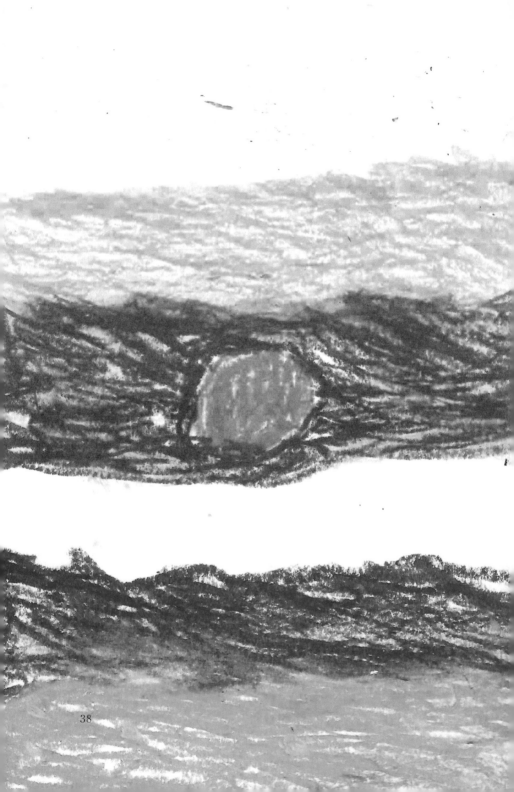

엄마와 다툰 일

손승현

어? "엄마 화남!"

번쩍- 무서워

"이제 도망치자"

다시 엄마에게 왔더니

다시 평화가 찾아왔네

엄마 화풀림

40

달달한 사탕

최윤호

입안에서

사탕 두 개가

두 볼에 볼록

"또 먹어야지, 근데 사탕이 너무 빨갛다."

이리저리 올록볼록 새콤달콤

아이고 맛있다.

지호한테 맞은 날

손예준

어제 동생이랑 싸우고 있었다.

그런데 동생이 나를 발로 찼다.

나는 마음 속으로 오늘 망했네라고 했고

동생도 엄마한테 혼나겠네

예상대로 엄마한테 혼났다

동생 두고 보자

44

장미

임종혁

장미를 보면
예쁜 꽃들이 생각난다.
장미를 만지면
손이 아프다.

빨간 사과

주예별

아삭아삭

빨간 사과

맛있는

아삭아삭거리는

빨간 사과

형이랑 싸운 날

이성준

어제 형이랑 게임을 하다가 싸웠다.

원래 형이 먼전데 어제는 내가 먼저 했다.

근데 형이 와서 뺐었다.

그래서 형이랑 싸웠다.

그래서 화가 났다.

비행기 처음으로 탄 날

서 율

비행기 처음으로 탄 날

'혹시나 비행기가 떨어지면 어쩌지?'

'뉴스에서 보던 일이 실제로 일어나면 어쩌지?'

나는 두려워서 심장이 쿵쾅쿵쾅

비행기가 추락할까봐 두근두근

엄마ㅠㅠ

유영한

"어? 엄마가 어디 가셨지?"

길을 잃어버렸다.

어? 저 뒷모습

"엄마~~~"

"어? 누구세요?"

알고 보니 낯선 얼굴

"으앙~ 엄마ㅠㅠ"

드디어 엄마를 찾았다.

진짜 진짜 무서웠다.

사탕 맛있어~

빨강, 빨강

최은율

빨강 빨강 단풍잎 나무에서 '뚝' 떨어지는 단풍잎

빨강 빨강 단 사과 아삭 아삭 씹어먹는 단 사과

빨강 빨강 고추 잘 익은 고추

과학

이민성

어젯밤

아무도 모르게

우리 가족이 과학 박물관에 다녀갔더니

기계 한 명이 무슨 얘기 들었나?

기계 두 마리는 무슨 얘기하나?

아침 일찍

햇살이 반짝 반짝

내가 해해해

번개

최설아

번쩍- 번쩍!

우르릉 쿵쾅- 쿵쾅

먹구름이랑 번개랑

신나게 논다.

너무 화가 난다.

저녁이라서

너무 시끄러웠다.

잠을 한숨도 못 잤다.

엄마가 화나면 나도 화나

문채원

난 엄마가 잔소리하는 건 싫어
맨날 잔소리
엄마는 화가 나면 엄마 얼굴이 빨개져
나도 화나 에휴~

나도 화가나 근데 난 사춘기 땐 엄마는 갱년기
아빠가 그러는데 사춘기보다 갱년기가 쎄다
말했다.

엄마가 화나면 나도 얼굴이 빨개져

노랑

노란색을 보면
떠오르는 감정을
시로 적어보았어요

우리 엄마는 바빠

강지은

아유 바쁘다 바빠

우리 엄마는 아침부터 바빠

밥하느라 바빠

우리 엄마는 아침부터 일터 가느라 바빠

우리 엄마는 아침에 일터에 늦어질 뻔해서

급하게 차로 뛰어가서 심장이 쿵쾅쿵쾅 뛰지

엄마는 24시간이 모자랄 만큼

쉬지 않고 돌아가는 노란 시계 우리 엄마

병아리

구해솔

삐약삐약 삐약삐약 귀여운 병아리

사랑스러운 병아리 우쭈쭈 작은 병아리

삐약삐약 귀여운 울음소리

작은 목소리로 삐약삐약

귀엽게 우는 병아리

사랑스러운 병아리

츄러스

김다윤

엄청 긴 츄러스
한 입 먹고 두 입 먹어도
여전히 긴 츄러스
가족들이 한 입씩
먹으니 짧네
가족들이
미안해라고 해도
난 슬프고
가족들이 또 사준다고 해도
난 여전히 슬프고

70

바다

김도현

바다

바다는 어떤 느낌이 날까

참 신기하다.

바다는 신기하다.

바다 안 쪽은 노란 불가사리가 있다.

그리고 노란 소다유리라이트가 있다.

바다 안 속에는 사르르 사르르 사르르 사르르

사르르

이렇게 바다는 신기하다.

바다는 어떻게 만들어졌을까

나는 바다가 참 좋다.

좋아

김태양

나 모든 게 좋아
사람들도
좋아
난 모든 게
다다 좋아

방긋방긋 해님

박지우

방긋방긋 해님은

항상 방긋방긋 웃는 해님

해님은 우리를 따뜻하게 해주고

나는 해님을 보면

노릇노릇 구워지는

달걀 후라이 같다.

바나나

안지원

노　란

　옷을 입은

　달콤　　달콤

　　바　　나　　　나

　　한　　　번　　먹으면,

　　먹고 또 먹고 싶고

　　내 뱃 속을 채워주는

　맛있는 바 나 나

　바나나는 역 시

맛. 있. 어.

시큼한 귤껍질 깔 때

오장우

진한 귤 껍질

연한 귤 껍질

사실은 초록색 껍질도 있네.

껍질 깔 때 귤까지 까면 과즙이 흘러나오고

한 번에 까려고 도전!! 해서 실패하면은

그냥 막 까고 옆구리 부분 잘 까면

팝잇처럼 넣었다 빼면 뿌듯하고

한번에 까는데 이번 성공?하지 못하고

꼭지부분 못 깠네

머리 뚫린 귤껍질문어

아쉽네.

은행잎

이다인

은행잎 은행잎

노란색 은행잎

색은 예쁘지만 냄새는 안 예쁜 은행잎

은행잎 은행잎

떨어질 때마다 노란색 비가 오는 것 같다.

노란색으로 물들은걸까

은행잎은 사진보다 지금이 이 순간이 더 예쁘다

82

좋아

이서준

내가 친구한테

놀이터에서

같이 놀자고 했는데

나갈 때 엄마가 돈을 주셨어

그래서 좋아

달

이우빈

어두컴컴한 밤에

둥실둥실 떠 있는

노란 달

어디에서 왔나

궁금한 달

저 달에 가서

뛰어놀고 싶다.

문이 열립니다

강아지

전하준

엘리베이터에서
강아지를 봤다.

복슬복슬 귀여운 강아지
나도 강아지가 너무 좋아요

털이 많고 귀여운 강아지
노란색 하면 귀여운 게 떠오른다.
눈처럼 하얀 강아지

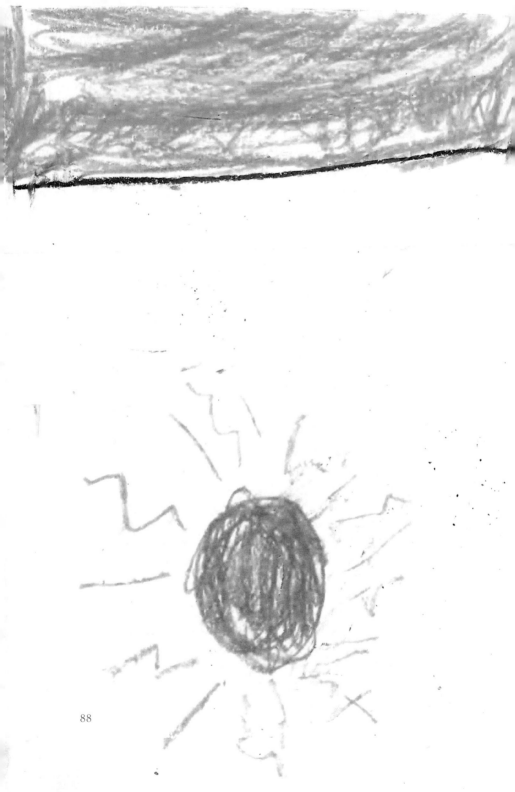

노란 물고기

정승원

물고기 넌 좋겠다.
헤엄을 칠 수 있어서

물고기 넌 좋겠다.
어항이 있어서

물고기 넌 좋겠다.
사람들이 귀엽다고 하니까

물고기 넌 좋겠다.
넌 예쁜 수조가 있으니까.

감귤

조윤우

껍질을 까면
알맹이가 들어있다.

알맹이를 분리하면
많이 나눠진다.

그걸 먹으면
새콤해진다.

멋져?

그러게..?

폭죽

진세라

반짝 반짝

펑펑 펑펑

어디에서나

볼 수 있는

노란 폭죽

빨강 빨강 파랑 파랑

노랑 노랑 핑크 핑크

푹. 푹. 푹. 푹.

우렁차게 울부짖는

노란 폭죽

톡.톡. 톡. 톡. 톡. 톡.

소심하게 울부짖는

노란 폭죽

94

개나리

채아린

노란 햇살 받으며

얼굴을 처음 내미는

노란 개나리

너무 작아서

밟을 수 있겠네

조심조심 걸어야지

96

보름달

손승현

보름달 보름달

밤에 볼 때 예쁘지

소원도 들어준다니까?

보름달 보름달

볼 때마다 우리 엄마 얼굴 같다.

보름달은 볼 때마다 예뻐

좋아

최윤호

엄마가 빨리 온다, 좋아

아빠가 빨리 온다, 좋아

내일이 주말이다, 좋아

학습지가 없다, 좋아

모두 다 좋아

번개

손예준

우르르 쾅쾅
번개가 치네
찌릿찌릿 번개
너무 무섭네

병아리

임종혁

삐약삐약 노란색 병아리
병아리 밥 먹을 때도 삐약 삐약
걸을 때도 삐약 삐약
가만히 있을 때도 삐약 삐약
추울 때도 삐약 삐약

내 이름 예쁜 별

주예별

내 이름 예별
내 이름 예쁜 별

내 이름에
예쁜 별이 있네

반짝 반짝
내 이름에
노란 예쁜 별

별

이성준

하늘 위에 떠 있는 별
눈으론 못 보지만
예쁜 별 볼 때도 있지만
잘 안 보인다.

강아지

서 율

할머니 집에 가니
강아지가 "멍멍"

강아지는 날 보다니 "낑낑"
낯선 사람을 보면 "왈!왈!"

강아지는 나를 좋아하나 보네.
나도 강아지가 좋은데
우리 집에서 키우고 싶어
하지만 할머니가 반대해서
속상해

엄마의 웃는 얼굴

유영한

예쁜 엄마의 웃는 얼굴

엄마가 웃으면

나도 좋다.

내 마음은 향긋한 노란 꽃

"하하하 호호호"

"호호호 하하하"

112

노랑

최은율

노랑 노랑 은행잎 예쁜 은행잎

노랑 노랑 클레이 꽃 만들 수 있는 클레이

노랑 노랑 개나리 잎 네 장 개나리

노랑 노랑 가위 싹둑싹둑 가위

노랑색은 참 좋아

노란색

이민성

노란 허니머스터드 콕콕

노란 병아리 짹짹짹

노란 애플망고 쩝쩝쩝

노란 크레인 폴 쩝

노란 바나나 우유

노란 바나나 꿀꺽

즐거운 낚시

최설아

아빠가 물고기를 잡았어

물고기가 파닥 파닥

나도 아빠처럼

물고기가 파닥- 파닥

너무 뿌듯했다.

병아리와 닭

문채원

병아리는 삐약 삐약
닭은 꼬꼬댁 꼬꼬꼬

병아리는 작은데 닭은 커
근데 왜 병아리는 왜 알을 안 낳고
닭은 알을 낳지?
음 어~ 뭐지 닭은 알을 낳아서 나나?
아닌가 맛나 몰루겠자남

파랑

파란색을 보면
떠오르는 감정을
시로 적어보았어요

122

하늘 하늘 넓은 하늘

강지은

하늘 하늘 넓은 하늘
구름 한 점 없네

하늘 하늘 고요한 하늘
하늘 하늘 새들이 노래한다.

하늘 하늘 고요한 하늘
스르르 잠이 오네

아주 편한 하늘 색 아주 맑은 하늘색
아주 고요한 하늘

혼자

구해솔

내가 혼자 있을 땐 두려워

왜냐면 혼자 있으면 무서운 괴물이 와서

날 잡아먹을 것만 같거든.

심장이

두근두근

부모님은 언제 오지?하며

두려워해

혼자는 무섭고 두려워

오빠와 싸운 날

김다윤

오늘은

오빠와 같이

놀았네

놀다가

갑자기

싸웠네

엄마가 나를 혼냈다.

오빠도 같이

싸웠는데

나만 혼났네

하늘에서 비가

주륵주륵

내리는 것 같네

펑펑 눈

김도현

눈은 겨울이 되면 눈이 펑펑 내리면 좋아

눈사람 만들라면 좋다.

눈싸움도 할 수 있다.

눈은 어떻게 내리는걸까

눈은 펑펑 펑펑 놀이터를 가면 눈이 있다.

신기하게 내린다.

삭삭삭 눈을 파고 만진다.

눈은 12월이 되어야만 온다

참 아깝다

눈은 12월에 내릴까

매일 매일 내리면 좋겠다.

눈 펑펑펑펑펑펑 내리면 좋겠다.

130

비

김태양

나는 비가 오면
슬프다
비가 오면
놀 수 없으니까
슬프다 슬프다

빗방울

박지우

똑

똑똑

떨어지

는 맑은 소

리 뚝뚝뚝

아름다운

소리

바다와 나

안지원

출렁출렁
내 마음이
출렁출렁

철썩
파도소리

뿌우
뱃소리

파도 소리를 들으니

내 마음이

시원해진다.

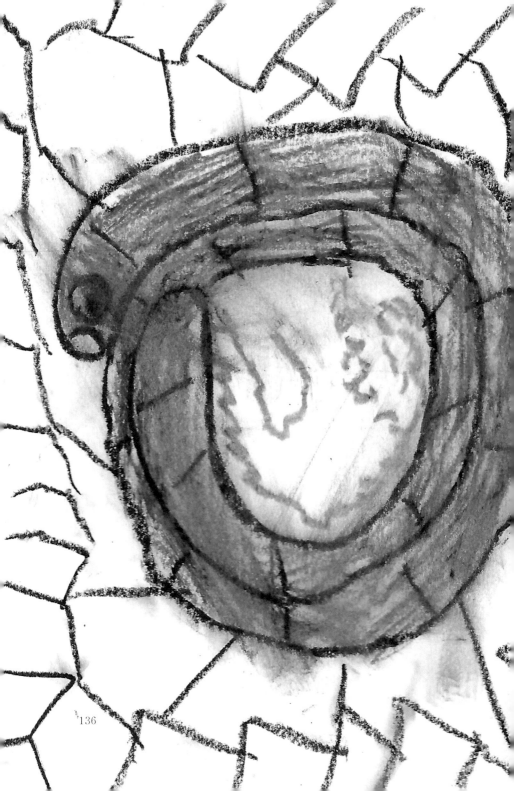

640만점 파란 지렁이의 가두리 노래

오장우

네가 꿈토이 지렁이 게임을 보고 있을 때

꿈토이에 파란 지렁이가 하는 노래

갑자기 그 노래가 떠올라!

가두리 가두리 가두리 가두리

빙글빙글 우리 모두 손뼉을 치면서

짝 노래를 부르며

빙글빙글 우리 모두 가두자

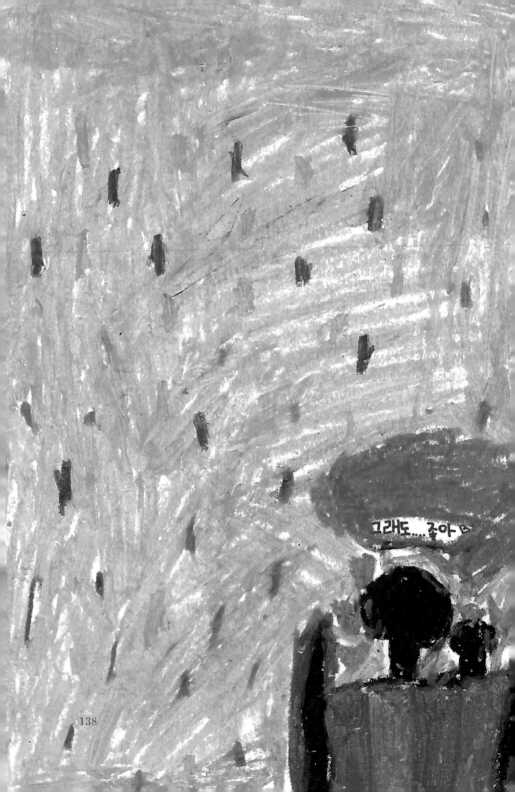

그래도 좋아ㄷ

최악의 날

이다인

오늘은 최악의 날

엄마한테 혼난 날

내 마음속에 비가 오는 것 같아

나를 엄청나게 혼낸 날

그래도 엄마는 내가 좋대

나도 그래도 좋아

140

슬픔

이서준

친구랑 놀이터에서
같이 놀은다고 했는데
친구가 다른 친구랑 논다.
그래서 슬프다

겨울

이우빈

사박사박

눈을 밟으면

겨울이 왔다는 신호

생생 바람이

나를 때리면서

나를 춥게 만드네

시험

전하준

시험을 보는 날
심장이 두근 두근

시험은 두려운 괴물

시험을 다 보면 안심이라고
말하고 싶다.

시험은 학교 가기를 두렵게
만드는 날

슬픔

정승원

오늘은 오늘은
슬프다 슬프다
사슴벌레 인형이
찢어졌다.

아빠에게 혼났다
오늘은 슬프다

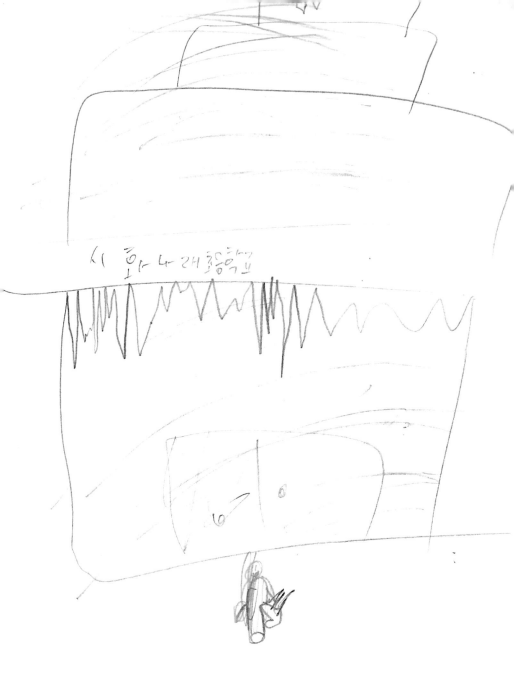

겨울

조윤우

겨울은 추워

추워서

동상에 걸리네

동상에 걸려서

아프다

아파서 죽겠네

두려움

진세라

내 마음에 비가 주룩주룩

내 이마에 식은땀이 주룩주룩

빙산처럼 땀이 줄줄줄

엄마가 내 방으로

터벅터벅 터벅터벅

시험지! 시험지를 으악!

빨리 숨겨야 돼!

두렵다

채아린

엄마가 내 방으로

다가오면

내 마음도 두근두근

숙제 안 해서

공부 안 해서

두렵다

154

가을

손승현

부들부들
부들부들

해는 떴는데
왜 이렇게 춥지?

손이 너무 차가워서
추워요

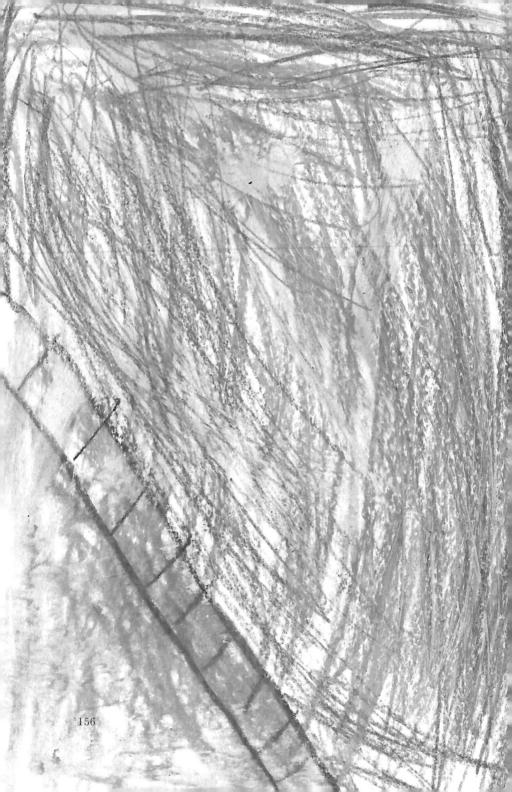

비 오는 날

최윤호

비 오는 날 나는 두렵다

아빠가 사고 나지 않고 올 수 있을까?

엄마가 사고 나지 않고 올 수 있을까?

파란 도마뱀

손예준

파란 파란 도마뱀

반짝 반짝 빛이 나네

파란 색을 보면

슬픔이 느껴지네

바다

임종혁

파란 바다

파란색 파도가 몰려오는 바다

파란색 바다에서 수영을 하고

모래밭에서 나오면 춥지

무서워

주예별

올라갔다

내려갔다

무서워 보이는

롤러코스터

내 동생은

재밌게 타고

나는 무서워하고

내 동생은

무서운 걸 몰라

무서운

롤러코스터

두려움

이성준

코로나를 걸렸다.
자고 일어났더니
열이 40도까지 올랐다

그래서 밥도 못 먹고
아무것도 못 먹었다.
다음 날이 되니
괜찮아졌다.

느낌이 이상해

서 율

하늘을 보면 느낌이 이상해

왠지 하늘을 보면 볼수록

내가 하늘에서 떨어지고 있는 것 같아

그렇게 하늘에 집중하면

내가 뒤로 넘어지기 직전 정신이 돌아와

하늘이 마법사인 걸까?

비

유영한

하늘에서

내리는 비

똑

똑

똑 내리는 비

비가 오면

나는 슬퍼

못 놀아서 슬퍼

못 나가서 슬퍼

"엉엉엉"

"잉잉잉"

파랑

최은율

파랑 파랑 슬픔

잘못했을 때

슬퍼

파랑 파랑 무서워

귀신이 뚝! 튀어나올까봐

무서워

슬퍼

이민성

형이 때려서 슬펐다

엄마랑 산책하러 못 가서 슬펐다

아빠는 나 바닥청소 했는데 돈 안준다

하품해서 눈물 났다

공격해서 슬펐다.

혼자

최설아

친구들이 바빠서

나 혼자 집에

쓸쓸하게 간다

엄마 아빠가 바빠서

나 혼자 집에

있어서 쓸쓸하다

#맺는 글

 시화호의 푸른 물결을 바라보며 꿈을 키우는 아이들이 있습니다. 자신들의 꿈을 틀림없이 이루겠다는 마음을 담아, 지금은 작고 귀여운 꿈틀이들이지만 앞으로 하늘을 자유롭게 나는 나비처럼 멋지게 날아오를 아이들입니다.

 '마음에도 색이 있다면?'이라는 생각에서 이 시집은 시작되었습니다. 이 세상의 수많은 색을 만들 때 기본이 되는 색이 빨강, 노랑, 파랑이라고 합니다. 이 색을 우리 마음의 바탕색이라 생각하고 그 색을 한 줄 한 줄 시로 표현해냈습니다. 세 가지 색으로 만들어낼 수많은 색처럼 앞으로 우리 꿈틀이들은 더욱 많은 감정을 배우고 느끼며 살아갈 것입니다.

 오늘의 시집이 9살의 소중한 한 자락의 기록으로 남게 되길 바랍니다.

-2023. 11. 30. 시화나래초 2학년 2반 담임교사-